ON SAIT QUE CELA A ÉTÉ ÉCRIT AVANT
ET APRÈS LA GRANDE MALADIE

DU MÊME AUTEUR

chez le même éditeur

N'importe qu'elle page
L'Espace de voir
En image de ça
Vers mauve
D'un corps à l'autre
Corps qui suivent
Le Sentiment du lieu
Les Passions du samedi (Le cycle des Passions 1)
Petit supplément aux passions (Le cycle des Passions 2)
Monsieur Désir (Le cycle des Passions 3)
Les Lits de l'Amérique (Le cycle des Passions 4)
Nuits
Les Sept Jours de la jouissance
Question de cinéma 1, essais
Action Writing
C'est encore le solitaire qui parle
Question de cinéma 2, essais
Le Spectacle de l'homme encore visible (Nuits 2)
L'Accélérateur d'intensité suivi de *On ne sait pas si c'est écrit
   avant ou après la grande conflagration,* coll. Typo
Les Amoureux n'existent que sur la Terre (L'Accélérateur
   d'intensité 2)

autres éditeurs

Formes. Choix de poèmes (L'Atelier de l'Agneau, Belgique)
Marguerite Duras à Montréal, textes réunis et présentés par
   Suzanne Lamy et André Roy (Éditions Spirale et Éditions
   Solin, France)
La Leçon des ténèbres (Ecbolade, France)
L'Accélérateur d'intensité suivi de *On ne sait pas si c'est écrit
   avant ou après la grande conflagration* (Écrits des Forges et
   Le Castor Astral, France)

ANDRÉ ROY

On sait que cela a été écrit avant et après la grande maladie

(L'Accélérateur d'intensité 3)

poésie

LES HERBES ROUGES

Éditions LES HERBES ROUGES
3575, boulevard Saint-Laurent, bureau 304
Montréal (Québec) H2X 2T7
Téléphone : (514) 845-4039

Illustration de couverture : Jean-Claude Rochefort,
Fragment d'un carnet de voyage, juin 1990
Photo de l'auteur : Yves Robitaille
Photocomposition : Sylvain Boucher

Distribution : Diffusion Dimedia inc.
539, boulevard Lebeau
Saint-Laurent (Québec) H4N 1S2
Téléphone : (514) 336-3941 ; télex : 05-827543

Dépôt légal : premier trimestre 1992
Bibliothèque nationale du Québec
Bibliothèque nationale du Canada

Merci à François Charron

Voici venir le temps
qui nous enseigne le peu que nous savons
sur la maladie des étoiles
et celle de notre vie

AVANT

Portrait du poète en jeune prodige fou et amoureux

LES GRANDS THÈMES DE MA POÉSIE
QUE JE DÉCLINE ICI

Le complément du temps juste après ton prénom
ma personne est une personne ayant longtemps rêvé
voici quelqu'un dans le vrai du ciel
il dort, regarde le brasero de son corps
et avec quoi il respire bien

LES PETITS FAITS QUI FONT VERSER
DES PLEURS AU POÈTE

tu as le choix de voyager dans la chambre
et j'y serai la personne la plus éclairée
rajuste la couleur sur mon ventre
en y suivant le cours de ses larmes
tu découvriras comme tous le découvrent
le chagrin juste au milieu

LA NATURE NE LAISSE PLANER
AUCUNE AMBIGUÏTÉ

il y a de l'eau partout durant la journée
et du temps plat derrière la porte
où l'on s'occupe des secrets
longtemps ne sachant rien des différences
et des ressemblances sexuelles
toi, moi, tous les deux et les autres
nous nous tenions au plus près de l'expression moderne
observions les prodiges de la nature

DEPUIS COMBIEN DE TEMPS DURE LA POÉSIE

pour nous la neige est toute simple
le vent nous rejoint, soulève notre mélancolie
un poème a été écrit durant la guerre
puis corrigé parce qu'il était trop transparent
me sentant avant toute chose heureux
je chasse les nuages qui se sont arrêtés dans tes yeux

IL FAUT VIVRE DANGEREUSEMENT

le poète a beaucoup à supporter
rêvant que le monde commence à changer
souhaitant ce que tu penses quand tu respires
d'un ciel à l'autre (quand l'autre ciel demeure seul)
fais une passion, le plus-que-beau
juste un mot et je prendrai feu

ON VOIT SEULEMENT CE QU'ON VEUT VOIR
SURTOUT QUAND ON VEUT VOIR
DES ANIMAUX EXTRAORDINAIRES

la nuit pareille au paseo du fleuve
dis, doux bel ami doux, regarde
je m'exprime dans la langue des amoureux
qui se prennent pour les seuls habitants d'un lieu appelé
    le Grand-Tout
la nature leur étant un endroit précis
où fourmillent les événements
et les dragons (qui n'existeront bientôt plus
à cause des grandes maladies)
cachés dans les arbres

LES ZOOS C'EST POUR LES FAUVES
COMME NOUS

il y a de l'air partout
et du beau temps jusque là-haut
jusque dans les mystères
un jour tu comprendras les larmes des vraies fleurs
les chagrins avec lesquels tu devras respirer
la nuit fauve c'est pour que nous écrivions dans la nature

POUR CEUX ET CELLES QUI VEULENT
DÉCOUVRIR LES MYSTÈRES DE LA VIE

la musique se promène sur la terre
animal doux et entier
tu n'en reviens pas que je m'exprime
que les mots puissent un jour révéler qui je suis
jeune roi, bel homme beau depuis toujours
qui anime des objets dans les livres
un sexe enchanté entre les jambes

DÉPART DANS LES BRUITS NEUFS
ET L'ÉMOTION

quitte la ville, quitte le ciel
cet azur transportant les images du voyageur
hanté par beaucoup de mots et de bruits
beaucoup c'est pour contenir ton destin
ainsi que tous ces poèmes humains
et cette envie d'être caressé

C'EST UNE SAISON POUR RACONTER
LE SECRET DE NOTRE HISTOIRE

texte lent près du feu
près du brasero de ton corps
je scrute tes formes, leurs détails très explicites
là où tu te sens devenir homme et poète
vivant la vie cachée des aimés
blessés qu'ils soient de devenir heureux
avec ces scintillants baisers collés sur leur joue de
    fantômes durant l'automne

PUISQUE LA VIE CONTINUE ET
QUE LE MONDE VA À SA PERTE

les images s'occuperaient de nous
et de nos secrets antérieurs
ceci : les chats dorment dans les tiroirs
en croyant que nous écrivons la nuit
comment va le monde, ah comment il va
voilà que je t'ai choisi entre tous
afin d'avoir la permission de vivre et de bien respirer

TEMPS ORAGEUX
MAIS BEAU EN FIN DE JOURNÉE

les ombres dans ta tête
mêlées aux prénoms gisant dans la mienne
pense à quoi tu aimes, tu penseras
avec le sexe qui chante, ce dragon de chair
à cette personne ayant longtemps vécu
curieuse d'être aimée
et qui écrira la vie claire, la vie majuscule

LES POÈTES FORMENT UNE GRANDE FAMILLE

encore de la musique sur la terre
le printemps annonçant la dynastie des couleurs
et le retour des jeunes picadors
qui viendront changer mon cœur
électricité profonde, buisson ardent
ce sont les vers et les poèmes qui montent, montent
et viennent délivrer mon âme

IL FAIT PLUS DE QUARANTE DEGRÉS
À L'OMBRE

par terre l'air caresse l'ombre de ma tête
l'été est là avec toi
et il passe et tu es loin comme un ange
il suffit de respecter le contrat des jours malheureux
après les jours heureux
d'apprendre à écrire
ce feu qu'on dit d'amour
et ce trop d'enfance en nous

L'ASTRE LE PLUS IMPORTANT DE LA GALAXIE

le soleil est une information
une métaphore qui permet le dialogue
nous avons un sexe plutôt qu'autre chose
conséquence du ciel blanc
mais cela ne change rien à la vie des fantômes
ni aux centaines d'amours que je t'offre d'écrire
pour connaître la chair humaine

LE POÈTE EXPRIME SA SYMPATHIE
POUR UNE SAISON PARTICULIÈRE

je sais ce qu'est une ville
et ce qui arrive totalement
quand on vit dans l'empire du poème
tu finis par devenir le plus attrayant de tous
et le multiplicateur des événements
l'été arrive avant l'hiver
avec sa musique, oh sa musique qui célèbre partout le
      paysage
puis ton cœur comme un talisman de la civilisation
      perdue et souveraine

LA SCIENCE NE RÉUSSIT PAS À EXPLIQUER TOUS LES PHÉNOMÈNES TERRESTRES

la vie possible naît des autres étoiles
laisse le silence sur le papier, délaisse ton siècle
les mots des confins de l'univers
disent que tu as commencé à aimer
terribles mots qui coulent comme le sperme terrible
de l'intérieur vers l'extérieur
mais tu es là, célibataire terrestre

LÀ OÙ IL EST QUESTION
D'UNE TERRE INCONNUE

je me sers de toutes les images
qui te font une fauverie
ou une ville d'où l'on aperçoit la vie
je suis celui qui est celui
qui a besoin de toi
mieux connu, mieux connaissant
car juste après les mots c'est l'infini qui surgit
et qui lutte

IL EST ENCORE QUESTION DU CIEL
QUI EST L'AUTRE MOITIÉ DE L'UNIVERS

tellement différent, lentement fou
et vrai comme le ciel
tels les objets dans le ciel font rêver
brillants comme des baisers
bel ami beau et plus encore
j'observe les métaphores qui sont les gardiennes du
    désir
et qui prennent soin de ta chouette banderilla

AH COMME LA NEIGE A NEIGÉ

comme de la neige lorsque j'ai éjaculé dans ta bouche
c'était blanc, c'était bon
j'écris pour me dépenser
comme une personne qui a choisi depuis longtemps
    d'aimer
et qui est prête pour le dernier poème du monde
au prochain baiser de l'ange

LA MÉMOIRE EST NÉCESSAIRE
AUX GRANDS POÈTES

lente saison près du feu
près de ton corazón
bien grand en dedans de toi
et agité comme l'hiver
il te souvient que je t'ai choisi
entre le ciel blanc et le ciel plat
parmi tous ceux qui animaient les objets dans les livres
    de poésie
ces étranges manuels de survie

HISTOIRE DU SURRÉALISME
EN DEUX VOLUMES

l'air partout que le feu partage
vu de la Terre le ciel paraît haut, il tremble
vus de la Lune la chair redevient bleue
comme une orange
et les chiens, fous comme ton cœur
je prends soin des mots que tu veux posséder
poète qui s'accuse d'être le poète des passions
douces et chaleureuses, douces et douloureuses

OBJETS LIQUIDES COMME DES POÈMES

la mer est grande
la mer est belle et le mérite
les poissons y sommeillent comme tu dors
nageant et respirant bien
avec le poème et ses idées pleines
je ne suis plus qu'une personne qui écrit

LA VIE DE CHAQUE PLANÈTE EST
DE QUELQUES MILLIARDS D'ANNÉES

encore la terre ronde comme la musique
tu n'en reviens pas que je puisse mourir
comme peut mourir le jeune prince un jour de printemps
parce que je dois à ton corps tous ces poèmes
chasse alors les nuages de ton esprit
il fait un froid argentin là-haut

LE LÉGATAIRE UNIVERSEL ET TERRESTRE

histoire de la solitude une et indivise
en l'an neuf zéro
le monde s'accorde à l'idée que je me fais de toi
va, crée du temps neuf
tu le penseras meilleur et miraculé
quand on a la poésie c'est là qu'on vit

LE POÈTE SOUHAITE ARDEMMENT
L'ARRIVÉE DU PRINTEMPS TANT ATTENDU

la chaleur se décidera bien à revenir
je me présente : voyageur avec beaucoup de mots
ces objets doux et solides, doux et pleins
entourant le dormeur
dors, beau magicien, dors
la nature est un endroit précis où rêver
aux dragons élastiques*

---

* «Les sept élastiques du dragon» (Yves Martin)

40

QUELQUES RECETTES
POUR VIVRE LONGTEMPS

écris bien pour écrire longtemps
il faut alors que la lumière tremble
au-dessus du fleuve où passent les images
la vie animée je l'imagine
et tu vas avec elle
et moi je vais jusqu'au bout des langues
afin d'obtenir la permission de devenir homme et poète

APRÈS LE RÊVE, LA RÉALITÉ

le malheur juste après le bonheur
ma personne comme un jeune écrivain fou et amoureux
elle croyait que les poèmes devenaient une solution à la
    vie
donc, écris durant, pendant, lorsque
mon corps prendra feu
car nous allons vivre les années de l'éveil

Le dragueur surréaliste
(pénultième version)

les années de cendres ont passé
j'imagine que le temps a laissé tomber ses épices
(sans toutefois les mêler à ta blondeur de jadis)
c'était au moment où l'amour faisait partie de la nature
ton cœur, manquant d'air,
avait imprimé une large tache sur mon chandail
la vie coulait, ton sexe enseignait gros
les cendres font maintenant partie de mon vocabulaire
la chambre, cette cathédrale des chaleurs, cette ville
      brûlée
voici que dedans je me mets en position
d'avoir un passé heureux
de me diviser pour pouvoir écrire comme jadis

le ciel est blond partout
le ciel paraît difficile
qu'est-il arrivé au spectacle du monde après toi ˙
j'ai un peu peur de mourir pour les autres
maintenant que les autres ne sont plus que des corps
le mien est percé, préparé au passé
même si mon sexe sait encore d'expérience éclater
dans un bruit de soie

la peau est légère, la peau est naturelle
les adjectifs se mangent dans les moments d'extase
des idées jadis visibles
les voici en grande vitesse dans le poème
une chambre jadis inconnue
voici l'espace qui s'y accélère
une ancienne nuit pour le petit chat
— je tricote toujours des chats dans mes textes —
que j'entends encore ronfler dans ton ventre
il n'y a parfois que les mots pour aimer
ils étaient la vie plein la bouche
la bouche heureuse du créateur de nuages

les garçons deviennent des amateurs
les garçons sont heureux à ma place
je pense pour eux, j'ai planté mes mots dans leur chair
ma chair, ta chair, sa chair
coupé en deux, chéri, je suis passé à l'erreur
je prononce maintenant les pronoms plus lentement
j'y trouve l'oxygène exubérant
et la structure du hasard
nécessaires à mon écriture morte

décidément c'était les années de cendres
le ciel était épicé
(sans toutefois que le prix de ta blondeur eût été
    astronomique)
le sperme avait laissé une large tache qui changeait de
    couleur toutes les heures
sur mon ventre, ton ventre, leur ventre
la chambre avec l'orage des larmes
et la conception des longs baisers
je t'y caressais comme si j'étais malheureux
voici que maintenant je me divise
pour pouvoir disparaître en écrivant

je n'échappe plus au sens du fluide
l'époque jadis nous permettait d'aimer n'importe qui
mais pas n'importe quoi
je mangeais des adjectifs en t'écoutant
le ciel avait un visage
le ciel n'avait pas sommeil
voici c'était le lit des nuages
et les longues queues qui, de face et en angle droit,
donnaient la position exacte de la Grande Ourse
beau blond, jeune cannibale
qu'est devenu ton sexe que j'ai imaginé déjà
éclatant dans un bruit de rose dans mes yeux

les années nous ont passés par le feu
j'imagine que le temps m'a laissé tomber
poussière, cendres, nuages
l'écriture faisait partie de la culture
(ainsi les métaphores faisaient parler les petits chats
	dans le poème)
gardant en permanence les adjectifs de jadis
pour décrire l'*ecstasy*, l'*experiment*
du dragueur qui n'avait pas échappé à la loi de l'erreur
ni à celle de la maladie
j'ai compris que c'était le bonheur de t'aimer
qui m'apportait le malheur de t'aimer

La possibilité de vivre
en écrivant

1.

Expulsant le temps de mon corps.
(Le corps est une manifestation particulière
de la dépense.)
Musique : vertige des étoiles
qui meurent déboussolées
dans les trous peuplés du ciel.
Arracher les couleurs du cœur
et n'en garder que les mots
qui iront rejoindre les autres,
beaucoup les autres.
Disons que la douleur se renouvelle chaque jour
et c'est ainsi que je veux en écrivant
être le plus vivant possible.

2.

M'expulsant moi-même de mon corps
pour rejoindre tous les autres.
Vertige : musique de tous les instants
qu'inventent les douleurs,
les tiennes, les miennes,
nous et vous.
Les vieilles couleurs chutent
derrière les yeux
jusqu'aux trous encombrés du cœur
et font leur œuvre.
Malgré les mots, nous ne sommes pas faits
pour être aimés en écrivant.

3.

Arrachés pour toujours de l'éternité
dans les vestiges du temps
et l'oubli des étoiles,
n'étant les corps de personne
nous voici prêts à dépenser
sueursangsperme.
Spectacle du vertige : le ciel se vidant
de toutes couleurs pensées ou rêvées
pendant que les autres sont ailleurs,
étrangers et malades.
La douleur que chaque jour rejette dans la mer
et que la mer renouvelle.
J'écris pour *bien* aimer.

4.

Après la transfiguration des mots,
des rêves et des mots dans les rêves,
voici le vertige de la mer endormie
où tu reposes avec ton contraire,
je tu il elle.
Le ciel agrandit chaque étoile
et chacune reste peuplée
de lumière, de cristaux et de vents.
L'écriture est animée
et il y a ceux et celles qui s'immolent dans l'amour.
J'écris toujours ainsi,
encombré par l'esprit et le corps
que vivent les autres.

L'Indien de la poésie

Le ciel de l'Italie

1.1

dans le mouvement et la couleur
(et dans tout ce qui soudain sort du cœur)
tu regardes, tu comprends
que je vais aux fêtes comme autrefois
avec la beauté plus italienne encore
que les anciens étés que tu feuilletais
dans la blancheur qui continue le ciel
quand tu dors avec la musique
comme un frère suicidé

1.2

dans la couleur
dans le mouvement de la douleur
(et tout ce qui te touche vient du cœur)
la couleur que tu regardes
la douleur que tu comprends
comme autrefois lors des fêtes anciennes
quand tu mangeais les cœurs avec les chiens du soir
et monte la musique
la musique avec les corps qui ont continué de pleurer
le frère inconsolable

1.3

dans tout ce que tu touches
dans ce que tu comprends
le corps avec les corps qui bougent
dans les autres montés au ciel
avec les couleurs anciennes des fêtes d'autrefois
quand je pleurais la beauté d'un frère suicidé
inconsolable malgré les fêtes qui continuaient
malgré la musique que je regardais
et que je ne comprends plus

1.4

la couleur a bougé
le mouvement, tu l'as compris
(mon cœur n'a plus aucune raison de sortir de ton cœur)
tu continues de vivre
tu continues avec les couleurs
comme autrefois les couleurs
étaient mangées avec la musique
et les chiens du soir
comme autrefois le fiancé, le frère
des fêtes italiennes
morts en même temps que la musique ancienne
que j'aimais

1.5

dans tout ce que nous regardons
et dans tout ce que nous touchons
il y a l'odeur ancienne des fêtes
des musiques que nous continuons de pleurer
des fêtes, des musiques
le fiancé italien
le frère inconsolable à cause des musiques
le cœur mangé par les chiens
son corps mort
son corps comme le nôtre
qui est monté au ciel pour nous rejoindre

L'Indien de la réalité

1.1

sur le dos toutes les matières
toute matière fatiguée sur toi
bel Indien du regard
dans le paysage précipité
défait pour toi à chaque mot
que tu montres avec les choses
avec le dense avec le multiple
qui toucheront à ta probabilité de vivre
quand passera ta vie à la réalité

1.2

dos aux matières
toute matière se précipitant
au centre où pourrit ton âme
parmi la sollicitude de tes semblables
à qui tu montres chaque mot de ta vie
qui ressemble à une vie pour tous
dense et multiple, dense et multiple
qui transforme la réalité
et l'enferme dans ton regard

1.3

toute matière existant pour toi
elle repose sur ton dos fatigué
parmi les paysages défaits
il y a ton nom, ton regard
où pourrit toute réalité
commune, multiple, commune et multiple
avec les pensées précipitées hors de toi
jetées à la mer, lancées au ciel
afin qu'une vie soit la vie
bel enfermé

1.4

dos aux matières qui se précipitent
les matières du corps blessé et vu
et retourné vers le vide de la réalité
qui a sollicité ton regard
qui a rempli ton âme
au nom de quoi se sont multipliés
tous ceux qui sont passés
en toi comme les ancêtres indiens
pour qui la vie devient la vie
et non leur âme pourrie

1.5

toute pensée montant
montant le long du dos
toute matière rejoignant la mer
atteignant le ciel
et les mots se précipitant dans tes yeux
bel Indien de la réalité défaite
dans ce qui ressemble au vide
à la multiplicité et à la densité du vide
où ton âme se noie, où elle choit
avec la pourriture de toute la vie
enfermée dans une vie

L'Espagne des poètes

1.1

la nuit arrive plusieurs fois
sans ses horloges
sans la mer descendue du ciel
pour le poète espagnol
qui consent aux souffrances de l'amour
mutilant ton cœur
au moment des ruines

1.2

la nuit traverse le rouge
le centre de tes poèmes
le mitan de ton cœur
comme la balle
dans la tête de l'Espagnol
à l'ombre des grenades
depuis toujours
dans les ruines

1.3

le rouge entre plusieurs fois la nuit
plusieurs fois le rouge
dans tes rêves, dans la peur de l'amour
quand tu glisses comme la mort
quand tu gis comme les ruines
à cause de cet amour
pour l'Espagnol fusillé
parmi les végétations
depuis toutes les guerres

1.4

au milieu de tes rêves
la nuit glisse plusieurs fois
hors des horloges
hors de la mer tombée du ciel
au centre de tes poèmes
tu ne comptes ni les fracas
ni les larmes
de l'Espagnol fusillé
parmi les ombres
dans les végétations

1.5

la nuit te mutile plusieurs fois
l'heure arrive sous les ombres
au mitan de tes poèmes, les larmes
que tu consens à l'amour
à l'Espagnol des grenades
(car son cœur est transformé
en une grenade)
beau ravagé par le ciel
pour l'Espagnol fusillé
il gisait dans les ruines
Federico Garcia Lorca

La ville des prodiges

1.1

dans la ville très concrète
aussi concrète que la mer
que les mots affirmant les prodiges
et les propositions de ton corps
l'avalé de toutes les phrases
de celles qui mesurent et calculent la nuit
pour te protéger des meurtres
et des grandes maladies

1.2

dans la ville des choses
dans la mer des choses
de tout ce qui rend possibles les prodiges
de l'amour et des meurtres
tous les soirs qui se proposent et s'accomplissent
après que les mots soient le jour avalés
nus et dévêtus
malades

1.3

dans la ville des paysages
aussi prodigieux que ceux de ton corps
que les mots ont vêtus
tu décides de te protéger des meurtres
bel avalé de la poésie
toi qui avances dans les mers
et qui attends les rôdeurs
une fois que la nuit les a vomis
nus, dévêtus
malades

1.4

dans la ville des noms
que tu donnes aux corps des plaisirs
aussi dévêtus que la mer et les mots
avalés avec la nuit des autres
voici les rôdeurs des prodiges
ceux qui attendent
ceux qui entendent
dedans ou dehors, devant ou derrière
les meurtres de la ville
vertigo

1.5

dans la ville des prodiges
où se décident les rôdeurs de la nuit
et des corps malades vomis par le jour
à cause de la nature des choses
que les mots concrets expliquent
pour les avalés vêtus, dévêtus
dans le dedans de
au devant de la poésie
tu vas
aussi certain d'elle
que de la mort
nu

APRÈS

La poésie au temps
de la grande maladie

Futur

LE PASSÉ

Nous lirons les livres qui
nous ont guéris, ils deviendront
l'ombre se dégageant de nous et
diront qui aimer ou qui haïr
surtout ceux qui font partie
de l'humanité malade

L'OUBLI

Humains les dieux nous imagineront
dansant avec nos faibles sexes
recouverts par des feuilles
dans un futur sans protection
ils ne nous ressembleront pourtant pas
tant le centre du monde ne sera plus
la Terre ni les espèces déchaînées
qui pourriront dedans

PAYSAGE

En dedans l'âme tournera mille fois
avec ses sucres amers, ne nous offrant
aucune preuve de son existence
elle s'écroulera comme la musique
d'un ciel trop paresseux pour s'en occuper
l'espace du désordre pourra alors entourer
tous les arbres devenus bleus
comme une maladie

L'ÉPREUVE DES SENTIMENTS

Images bleues de nous s'imprimant
contre l'air, régulièrement
le ciel s'écrira sur notre poitrine
rongée par les exemples de bonheur
qui seront si peu nombreux
qu'il faudra y ajouter de la tristesse
pour les reconnaître

TABLEAU VIVANT

Nos sexes ne reconnaîtront pas
notre comportement, blessés,
ayant perdu la foi, usés
ils nous obligeront à rêver d'un autre bonheur
dans le malheur, ce sera la ruée des sanglots
la nouvelle génération du soupir
et de la mélancolie

LA NATURE

Nous soupirerons encore
dans le souvenir des plantes grasses
dans la détresse qui nous visitera souvent
maintenant pour ces visages qui déjà reflètent
les maladies comme l'enfer et le paradis
se reflètent dans l'azur où montent
perdues pour la gloire de notre chair
toutes les années naturelles et terminées

L'HEURE DU DIALOGUE

Dans ces années d'iode
«de cet iode ému jusque sous nos ongles»
la grande beauté nous interrogera
jusqu'à se révèle le scandale des fleurs
mais elle n'obtiendra aucune réponse
de nous humiliés par l'amour
condamnés par la facilité des corps
nous serons couchés sur le côté
qui simule les miracles

LE LIT DU SOIR

Comme des miracles au centre
de notre tête, le paysage fermé
bougera enfin avec la même précaution
que les malades familiers de la fin
du jour et des draps fatigués sur lesquels
notre corps laissera sa marque
pour tous les autres qui y viendront
souffrir

UN ORDRE DE GRANDEUR

Chacun de nous souffrira
regrettant qu'aucune science
n'ait pas tout à fait arrondi la Terre
ni allongé l'été pour les anciennes parades
de l'amour, malgré que les autres ne soient pas
toujours des choses chaudes
ni promesses ni gages ni cadeaux
chacun de nous qui se tient avec les autres
est une colonne de solitude

LE FUTUR EST LÀ

Naîtrons-nous de nouveau seuls
du ciel aussi lointain que l'azur
et exploserons-nous ainsi que la fanfare
avec nos mots qu'amplifieront les douleurs
ce qui passe en nous nous brûle
on nous regarde vagir avec des yeux
de pauvres gens
avec la connaissance de la maladie
dans notre sang

CHEMIN DE CROIX

Le sang retiendra tous les détails
de notre existence, chroniques
de la nature heureuse passée, remarquant
que la vieille beauté ne ressemble plus
à la saine beauté de nos jours jamais comptés
quelque chose en nous vagit à peine
est-ce le cœur? est-ce l'âme?
le réel est crucifié en nous

PERTE

À côté de nous l'âme que se partageront
les autres paraîtra plus réelle que la nuit
la plus proche jetant ses fleurs d'onyx
c'est parce que nous fuyons
la douleur qui aboie dans nos poumons
que nous oublierons comment on meurt
quand on dort ensemble

LE VIDE INTÉRIEUR

Dans le livre dorment la technique, la guérison
et le vertige, nous dormirons lentement
avant que les neutrons pourrissent
au centre de la planète rare
(qui aura inutilement tourné pour elle-même
pendant quelques millions d'années)
et qu'apparaissent comme une information privilégiée
pour la vie sur la Terre
les espèces en voie de perdition

ÉQUINOXE

La nuit nous perdra au moment de l'éclipse
et notre sexe deviendra quelque chose
qui aura rusé, un accident affectif,
un hasard maladroit, l'ami ennemi
qui nous permettra d'entretenir
dans nos rêves un rapport délicat et ancien
avec certains endroits du corps
contaminés par la nouvelle nuit

VÉRITÉ

Les âmes contaminées décideront du corps
du cœur qui sent encore bon
elles flotteront sur les ventres encombrés
par les baisers, y accomplissant des miracles
nous serons occupés par le courage de la tendresse
malgré le temps incertain
(mais qu'est-ce que le temps?)
et le peu de choses qui nous restent à faire

DISTANCES

Les choses de l'esprit, peu connues
depuis la dernière maladie
qui nous a mis hors d'usage
seront choses normales percevant le même néant
doux que nous prévoyons en abandonnant
notre corps à l'avenir de la fatigue
qui se souviendra peut-être de nous

VERDICT

Préparatifs à la fatigue : certains de nos corps
deviendront humides comme la plupart des
insectes au moment où la nuit
les surprend et les cède
aux orties ou à la neige neuve
prendrons-nous les moyens d'aimer
jusqu'à en mourir malgré la nature
injuste comme les vivants

L'APPARITION DE LA MALADIE

Nous nous regarderons vivre
en train de nous aimer ici et là-bas
nous pressentons l'ampleur de la catastrophe
que les livres nous ont demandé de raconter
nous soupçonnons qu'un peu de réalité nous accueillera
dans ses linges, dans sa langue d'hôpital
mais qui embrassera les cicatrices gravées
sur nos sexes

IMAGES MENTALES

Les sexes disparaîtront dans la nuit
qui aura perdu toute idée du monde
les sexes avec leur odeur de mer
qu'ils évoqueront au moment du verdict
l'œil du hibou dans la nuit regarde
les plaisirs concentrés dans nos têtes
nous sommes préparés à faire
ce que la maladie nous dira de faire

EN COULEUR

Les faits alentour, la maladie bleue
le jour et la nuit qui rappellent la menace
de l'éternité (et l'éternité,
c'est le décor général et plat de l'océan)
nous dormirons mille ans pour les autres
avec cette douleur échouée
dans le lit des délicatesses
avant le lancement des fusées

Passé

RÉCIPROCITÉ

Au temps des hautes fusées lorsque tu lisais
les livres que j'avais rêvés
pour toi, tu savais aimer
surtout ceux qui t'aimaient tant
qu'ils ne voyaient plus
que la maladie en toi

LÀ-BAS

Elle existait toujours, la maladie
entre la soif des fleurs et la rage
des pierres, elle avait dispersé le futur
dans les quatre directions ennemies
manifestation naturelle qu'ont dévorée toutes les espèces
perdues en toi

LE TEMPS EST SOMBRE

Au moment où la lumière se perdait
dans l'ombre de tes poils bleus une maladie
débutait, le matin avait rempli les trous
et ne permettait plus la chasse aux promesses
jusqu'au milieu du lit de tes après-midi
quand nous pleurions pour toi

RÉVEIL

Pleurs incrustés dans le jour
d'iode, avec les odeurs déchirées
le matin lavait le corps de toutes les interrogations
sur le malheur des abandonnés
leurs noms recouverts par les feuilles
on sentait que la nature était ailleurs
du côté où la vie ne continue pas

MOUVEMENT PERPÉTUEL

La vie était tombée dans le noir
dans l'été le plus court, celui
où tu t'approchais des vaines promesses
des choses, de la trahison des images
dans une langue d'étranger, ne te consolant pas
que la science ait confirmé que la Terre
tournait inutilement autour des dix mille soleils
oubliés par Dieu

LIEUX

Le soleil avait alors une âme beaucoup plus réelle
que la tienne reposant dans les phlox
ou que la mienne mêlée aux orties
une toute nouvelle douleur repassait entre nous
les espèces en voie de disparition
se sont encore étreintes sur toi

ÉVOCATION

Restait encore l'étreinte de la neige
rappelant que nous nous aimions
c'était le temps des héros heureux
sur les plateaux de lumière
ignorés par des dieux, ignorant
leur prochaine maladie dans le pauvre jour
qui les surprenait encore vivants
en train de t'aimer comme moi
pour te sauver

LE LIT DU JOUR

J'ai tenté de sauver de la pourriture le fruit mou
de ton sexe (le sexe et ses cristaux lumineux)
les draps anciens en retenaient l'éclat
qui assombrissait tous ceux qui s'y couchaient
soit pour les excès soit pour les pleurs
l'eau silencieuse de leur corps y tombe
encore goutte à goutte
comme une éternité

EXPLOSION

Éternité nuit, la musique s'est échappée du ciel
cousu de soie, capitaine des baisers
tu n'oubliais pas les lois de la matière
ni les générations nées du désordre des globules
ton cœur s'est arrêté d'inventer
une existence parfaitement partagée
entre toi et ceux des autres mondes

LE TEMPS

Entre toi et le monde, les heures
où tu devenais de plus en plus invisible
avec tes mots qui grandissaient
en même temps que la maladie
les saisons pourries sous ta peau
le ciel précis n'accompagnant plus ton existence
à l'ombre du dernier sanglot

LANGUES

Quelques sanglots parmi le sang
mêlé aux fleurs, nos sexes
nous avaient éprouvés
gli dèi che abitarono i cieli
non lasciarono un segno*, nous rêvions
de changer la fin et les moyens de vivre
c'est-à-dire d'aimer

---

* les dieux qui habitaient les cieux
n'ont pas laissé un signe
(d'après Maria Luiza Spaziani)

LES MALADES

Si nous changions encore de vie
de chair dans le carré de chaleur
un reste de soupir emporté par la pluie
qui s'était jadis ruée vers nous
docteur des miracles, tu avais interrogé
avec précaution, avec lenteur le paysage
pour savoir pourquoi tu souffrais
avec les autres

LA SAISON ÉTAIT LÀ

Les autres avaient souffert d'avoir souffert
penser suffit à peine
pour les grandes parades de cet été
qui avait encore tenu à être là
tous ces travaux dans la tête
tu calculais le temps qui te restait
pour le donner à tous ceux
qui auraient bien voulu t'aimer

DÉCOUVERTES

Nous avions voulu aimer avant toute chose
le cœur, la caresse, le baiser
la tête pleine de sexes
il y avait le feu qui avalait les cellules
et les mots qui ne pouvaient plus nous guérir
seuls avec nos affections devenues avec le temps
des accidents terribles de la nature

LES CHOSES AVEC LES CHOSES

La nature avec les pâles étoiles
plus de musique ni de chair vive
trop de nuits qui débordaient de la chambre
chef du désir, tu délirais
sexe occupé, avide des images
tu aurais voulu accomplir beaucoup de miracles
pour le monde qui allait finir avec toi

CATACLYSME

Le monde ne nous ressemblait pas
comme la beauté ressemble à la beauté
dans la nudité profonde de ton corps
toutes les humidités de la nuit
nous contaminaient aux moments
importants, à ces moments où nous cédions
à la tentation de mourir plus tard
dans le miracle du désastre

LE CHAGRIN DE L'ARAIGNÉE

Les désastres te surveillaient déjà
silence dur sur les aurores
le matin nous condamnait au peu de réalité
qui nous restait et ses griffes
s'accrochaient toujours au lit
le sang dur, le sexe sauvage entre les draps
nous continuions de nous faire mal
sans le savoir

VOYAGE

Malgré le savoir et les mots, le sang
fait toujours et encore mal
une bonne matière pleine de méchantes matières
tu pensais à tout ce qui est naturel et terminé
à la couleur de quelqu'un qui changeait
se transformait ton corps du miel aux cendres
l'écriture si lente sous la peau
(les travaux et les jours sous la peau)
et le réel parti à toute vitesse
vers l'azur indifférent

TESTAMENT

Le firmament vivant mais toujours vide
il était souvent question d'aimer
chez moi, dans mes livres
plus graves que le fracas du monde
plus malheureux que moi, *mon frère*
avec la chose de ton sexe jusqu'au fond de mes yeux
j'avais prévu toutes les futures catastrophes
ainsi que la maladie fournie par la réalité

L'AVENIR

Prolongements à la maladie : certains mots
brûlaient en nous comme les dragons
que la nuit pouvait abandonner
sur la vieille neige
la maladie attrapait la vie
qui l'avait créée
avais-je les moyens d'écrire la fin de tout
de dire la dernière fois que je t'ai embrassé
sous les étoiles qui mouraient
les unes après les autres dans l'indifférence générale

TABLE

POÉSIE, PROSE

Claude Beausoleil, *Motilité*
Claude Beausoleil, *Avatars du trait*
Normand de Bellefeuille, Roger Des Roches, *Pourvu que ça ait mon nom*
Normand de Bellefeuille, *Le Livre du devoir*
Normand de Bellefeuille, *Lascaux*
Normand de Bellefeuille, *Heureusement, ici il y a la guerre*
Normand de Bellefeuille, *Obscènes*
Louise Bouchard, *L'Inséparable*
Nicole Brossard, *La Partie pour le tout*
Paul Chamberland, *Genèses*
François Charron, *Persister et se maintenir dans les vertiges de la terre qui demeurent sans fin*
François Charron, *Interventions politiques*
François Charron, *Pirouette par hasard poésie*
François Charron, *Peinture automatiste* précédée de *Qui parle dans la théorie?*
François Charron, *1980*
François Charron, *Je suis ce que je suis*
François Charron, *François*
François Charron, *Le Fait de vivre ou d'avoir vécu*
François Charron, *Le Monde comme obstacle*
François Charron, *La Beauté pourrit sans douleur* suivie de *La Très Précieuse Qualité du vide*
Hugues Corriveau, *Forcément dans la tête*
Hugues Corriveau, *Mobiles*
Hugues Corriveau, *Apprendre à vivre*
Hugues Corriveau, *Ce qui importe*
Michael Delisle, *Fontainebleau*
Roger Des Roches, *Autour de Françoise Sagan indélébile*
Roger Des Roches, *«Tous, corps accessoires...»*
Roger Des Roches, Normand de Bellefeuille, *Pourvu que ça ait mon nom*
Roger Des Roches, *L'Imagination laïque*
Roger Des Roches, *Le Soleil tourne autour de la Terre*
Raoul Duguay, *Or le cycle du sang dure donc*
Francis Farley-Chevrier, *L'Impasse de l'éternité*
Lucien Francœur, *Les Grands Spectacles*
Huguette Gaulin, *Lecture en vélocipède*
André Gervais, *Hom storm grom* suivi de *Pré prisme aire urgence*
Marcel Labine, *Papiers d'épidémie*
Marcel Labine, *Territoires fétiches*

*Cet ouvrage a été achevé d'imprimer
aux Ateliers graphiques Marc Veilleux
à Cap-Saint-Ignace en mars 1992
pour le compte des
Éditions Les Herbes rouges*

Imprimé au Québec (Canada)